KB183549

유채

유채

서성란
소설집

청색종이

차례

유채

서성란 소설집

유채

4인용 식탁 하나로 충분했다. 번잡하게 교자상을 꺼내지 않고 율과 율의 친구들이 식탁에 둘러앉아 천천히 먹고 난 뒤에 소하는 경수와 늦은 저녁 식사를 해야겠다고 생각했다. 오늘 저녁에 율은 친구들과 함께 집으로 돌아오기로 했다. 등교하지 않는 주말에 생일잔치를 할 수도 있지만 앞당기거나 늦추지 않겠다고 고집한 사람은 소하였다.

야간자율학습이 끝나면 단짝친구들과 함께 곧장 집으로 오라고 소하는 율에게 일러두었다. 입시가 코앞이라 부담스러울 수도 있지만 어차피 각자의 집으로 돌아가면 야식을 먹은 뒤라야 길고 고단했던 하루를 마감하는 아이들이었다. 규와 율은 같은 빌라에 현과 석은 맞은 편 빌라에 살아서 오가며 시간을 낭비할 염려는 없었다. 긴장과 피곤으로 지치고 힘든 아이들에게는 잠시나마 먹고 웃고 떠들 시간이 필요했다. 율이 중학교 때부터 어울려 다녔던 친구들은 외모며 성격이 제각각이지만 식성이 비슷해서 소하가 만들어주는 음식이라면 무엇이든 마다하지 않았다. 쇠를 삼켜도 소화시킬 수 있을 만큼 건강하고 식욕이 왕성한 나이였다. 먹고 돌아서면 금방 다시 배가 고프다고 하는 청춘이었다. 입시에 짓눌려 숨이 막힐 텐데도 의젓하게 버텨내고 있는 아이들을 위해서 소하는 특별한 만찬을 준비하고 싶었다.

소하는 아직 메뉴를 정하지 못했다. 냉장고가 텅 비었다. 언제 시장에 다녀왔는지 기억이 가물가물했다. 뻐꾸기시계가 짧게 한 번 울었다. 소하는 침대에 누운 채 고개를 돌리고 벽에 걸린 뻐꾸기시계를 바라보았다. 오후 1시 30분이었다. 남편 경수가 출근 준비를 할 때 잠을 깼지만 소하는 눈을 감고 침대에 누워 있었다. 언제부터인가 경수는 아침에 소하를 깨우지 않고 빈속으로 집을 나갔다. 집에서 저녁 식사를 하는 날이 드물었다. 경수는 이따금 집으로 전화를 걸어와 밥을 먹었냐고 다정한 목소리로 소하에게 물었다. 먹고 싶은 음식이 있는지 외식을 하고 싶은지 조심스럽게 물어왔다. 오래전 율을 임신했을 때 소하는 입덧이 심해서 두어 달 동안 거의 먹지 못했다. 제대로 먹지 못하는 소하 때문에 경수는 전전긍긍했다. 과일로 끼니를 대신하는 소하가 안쓰럽고 딱해서 경수는 웬만해서는 집에서 밥을 먹으려고 하지 않았다. 두어 달 뒤 입덧이 사라지자 소하는 끼니때마다 깜짝 놀랄 만큼 많은 양의 음식을 먹었다. 먹지 못해서 핼쑥했던 얼굴은 혈색이 돌았고 태동을 느낀 뒤로 뿌듯하게 배가 불러왔다.

끼니를 걱정하는 경수의 전화를 받을 때마다 소하는 손바닥으로 아랫배를 더듬고 쓰다듬고 늘어진 뱃살을 만져보았다. 오래전 풍선처럼 둥글게 부풀었던 소하의 자궁은 말라 쪼그라들었다. 이제 다시 아이를 품을 수 없지만 소하의 자궁은 율이 머물렀던 시간을 기억하고 있었다. 입덧은 음식의 역한 냄새에서 시작되었다. 욕지기가 나오면 손바닥으로 입을 틀어막고 욕실로 달려갔다. 자궁에 자리잡은 태아는 익숙한 음식의 맛과 향을 거부했다. 임신을 하지 않았더라면 평소 즐겨 먹었던 김치며 된장이며 고기가 그토록 강렬하고 독한 냄새를 품고 있는 줄 알았을 리 없었다.

이제 자궁이 텅 비었지만 소하는 제대로 먹지 못했다. 식재료를 손질하고 음식을 만들었던 기억마저 시나브로 잊었다. 배추를 씻고 절여 김치를 담글 때 손바닥으로 느껴졌던 감각을 떠올리기 어려웠다. 고기와 채소, 과일의 맛과 향을 구별할 수 없었다. 냄새가 사라지자 식욕이 떨어지고 몸의 움직임이 느리고 둔해졌다. 하루 대부분의 시간을 침대에 누워 있거나 소파에 젖버듬히 앉아 있었지만 피로가 사라지지 않았다.

소하는 뻐꾸기시계가 걸린 벽 쪽을 바라보고 누워 율

이 좋아하는 음식 서너 가지를 떠올렸다. 육식을 좋아하는 아이였다. 소하는 갈비찜과 닭볶음탕, 잡채를 만들 때 채소를 넉넉히 넣어야겠다고 생각했다. 초코케이크와 생크림케이크 사이에서 망설이다가 생크림케이크를 선택했다. 불고기 피자 한 판을 사면 넉넉할 듯했다. 과일이며 음료수며 과자를 사려면 아무래도 혼자 손으로 벅찰 듯 싶었다.

뻐꾸기시계가 요란하게 두 번 울자 소하는 느릿느릿 억지로 침대에서 일어나 앉았다. 거실 창으로 들이쳐서 환하게 퍼지는 빛을 방문 너머로 바라보면서 검은색 스웨터를 꺼내 입고 검은색 머플러를 목에 두르고 지갑을 집어 들었다. 현관문을 잠그고 빌라 공용 현관을 나가 한두 걸음 떼었을 때 휴대전화를 챙기지 않고 나온 줄 알았지만 집으로 되돌아가지 않았다.

소하는 지어진 지 오래된 빌라 단지를 벗어나서 4차선 차도가 보이는 큰길로 걸어나갔다. 대형 마트는 버스로 두 정거장 떨어진 거리에 있었다. 날씨가 쌀쌀했지만 별이 좋아서 버스를 타지 않고 가로수가 서 있는 인도를 따라 걸었다. 보도블록 위로 노랗게 물든 은행잎이 수북했다. 여간해서는 외출을 하지 않았던 탓에 눈치채지 못한 사이 바뀌어버린 계절이 이물스러웠다. 가을이 왔다고 해서 특별히 좋거나 나쁘지 않았다. 냄새를 잃어버리고부터 모든 일이 심드렁해졌다. 소하는 은행잎을 밟고 서서 심호흡을 했다. 길바닥에 터지고 짓뭉개진 은행 열매들이 널려 있었지만 고약한 냄새는 맡을 수 없었다.

사거리 횡단보도를 건너오는 학생들이 보였다. 소하는 비둘기색 교복 재킷을 걸쳤거나 카디건을 입은 고등학생들의 모습이 낯익었다. 아직 학교가 파할 때가 아니었는데 웬일인지 어깨에 가방을 둘러멘 학생들이 둘씩 셋씩 짝을 지어 걸어오고 있었다. 신호등이 빨간 불로 바뀌었다. 횡단보도를 사이에 두고 서서 소하는 맞은편 인도 가장자리에 모여 있는 학생들의 얼굴을 살폈다. 비둘기색 교복을 입은 학생들 무리 속에서 규와 석과 현의 모습은 보이지 않았다. 소하는 아침에 등교할 때 율이 재킷을 입었는지 조끼 위에 카디건을 걸쳤는지 기억나지 않았다. 유난히 추위를 타는 아이였다. 물이라면 질색하는 아이였다. 못하는 운동이 없는 아이지만 율은 차가운 물을 싫어해서 수영을 배우려고 하지 않았다.

신호등이 파란 불로 바뀌었다. 학생들은 차례로 소하의 뒤편으로 사라졌다. 마트로 향하는 소하의 발걸음이 바빠졌다. 집으로 돌아가면 율이 친구들과 함께 도착해 있을 것 같아서 마음이 분주해졌다. 음식을 만들 새도 없이 생일잔치를 시작해야 할지도 모르는 상황이 벌어질까 봐 난감했다. 율에게 전화를 걸고 싶었지만 휴대전화가 없었다. 소하의 휴대전화는 전원이 꺼진 채 화장대 서랍에 처박혀 있었다. 미각이 사라진 뒤로 말이 거추장스러워서 늘 손이 닿는 자리에 두고 사용했던 휴대전화를 숨겨 놓은 지 오래였다.

소하는 소갈비와 손질이 된 닭을 낚아채듯 집어 수레에 던져 넣었다. 마른미역과 당면이 진열된 자리가 어디인지 몰라 한참을 두리번거리다가 찾아냈고 쇼핑수레를 끌고 허둥거리면서 과일 매대로 건너가서 바나나 한 다발과 파인애플, 배와 귤을 골라 담았다. 눈에 띄는 대로 과자와 음료수를 집어 들고 동동거리면서 다시 채소 매대 쪽으로 옮겨갔다. 감자와 양파, 당근, 팽이버섯, 시금치를 수레에 담고 주위를 둘러보았다. 마트에는 쇼핑하는 사람들이 많지 않았다. 식재료와 음료수, 과일 따위로 수북한 수레에 재빨리 대파 한 단을 얹고 계산대 쪽으로 걸어가면서 소하는 빠뜨린 재료가 있을지도 모른다고 생각했다.

피자 가게 출입문을 열고 들어서면서 소하는 다급한 목소리로 불고기 피자 큰 사이즈 하나를 빨리 포장해달라고 소리쳤다. 주문이 밀려 있으니까 기다려달라고 양해를 구하는 점원에게 신용카드를 꺼내 내밀면서 소하는 고등학생들로 가득찬 테이블을 둘러보았다. 교실에 있어야 할 아이들이 왜 피자 가게에 몰려와 있는지 알 수 없었다. 시험이 끝나는 날이면 율은 친구들과 어울려서 피자를 사 먹었다. 열일곱 번째 생일날 율이 규와 석과 현을 불러 생일잔치를 했던 곳도 피자 가게였다. 중간고사가 끝난 날이었다.

점원이 납작한 상자에 피자를 담아 내밀었다. 소하는 빨간색 끈으로 둘러 묶은 피자 상자를 손가락에 끼우고 가게를 나오면서 시험기간인 줄 까맣게 몰랐던 자신의 무심함을 탓하다가 당황해서 허둥거렸다. 무엇을 더 잊고 놓쳤을지 알 수 없었다. 냄새가 사라지고 맛을 느끼지 못한다고 해도 소하는 여전히 살아 있었다. 율을 챙기지 못할 만큼 정신을 놓고 무기력하게 지내야 할 까닭이 없었다.

서둘러 집으로 돌아가야 했지만 베이커리를 그냥 지나칠 수 없었다. 음식을 만들 시간이 없어서 케이크와 피자, 과자, 음료수로 생일잔치를 해야 할 난감한 상황이었다. 안면이 있는 베이커리 주인 남자가 소하에게 반갑게 인사했다. 소하는 숨을 헐떡거리면서 진열장 앞으로 다가가 생크림케이크를 포장해달라고 말했다. 진열장 문을 열고 케이크를 꺼내면서 초가 몇 개 필요하냐고 남자가 물었다. 소하는 얼른 대답하지 못하고 우물거렸다. 상자에 케이크를 담으면서 남자가 힐긋 쳐다보았지만 소하는 말귀를 못 알아듣는 사람처럼 우두망찰하고 서 있었다.

"누구 생일인가요?"

남자가 친절하게 물었다.

"아들 생일이에요. 고3인데……."

소하는 계산대 안쪽 테이블에 놓인 오븐에 갓 구워져 나온 썰리지 않은 식빵을 바라보면서 자신 없는 목소리로 대답했다.

"폭죽, 드릴까요?"

큰 초 하나와 작은 초 아홉 개를 꺼내 길쭉한 종이 봉지에 넣으면서 남자가 다시 물었다. 소하가 고개를 끄덕이자 남자는 폭죽 두 개를 초가 담긴 종이 봉지와 함께 상자 위에 얹고 스카치테이프로 고정시켰다. 남자가 무엇을 더 물을까 봐 겁이 나서 소하는 서둘러 계산하고 케이크 상자를 집어 들었다. 양손에 피자와 케이크 상자를 나눠 들고 인사도 잊은 채 소하는 허둥거리면서 밖으로 걸어 나왔다.

소하를 앞질러서 배달된 식료품이 큼직한 박스에 담겨 현관문 앞에 놓여 있었다. 문을 열고 현관 안으로 박스를 옮겨놓으면서 거실을 둘러보았다. 볕이 사라진 거실이 조용했다. 소하는 피자와 케이크 상자를 테이블에 올려놓고 박스를 주방으로 가져갔다. 앞치마를 두르고 개수대에서 손을 씻다가 바보처럼 율의 나이를 금방 떠올리지 못했던 자신이 부끄러워서 얼굴을 붉혔다. 소하는 의심하고 추궁하는 남자의 시선을 떨쳐내려고 토막 난 닭을 삶고 찬물에 갈비를 담그고 채소를 씻고 썰면서 바쁘게 손을 움직였다. 아들의 나이를 기억하지 못하는 엄마를 비웃는 남자의 눈빛이 싸늘했다. 날씨가 추워진 줄 모르고 교복 재킷만 입혀 율을 등교시키고 중간고사 날짜가 언제인지 까맣게 잊고 있다가 당황해서 허둥거리는 까닭이 무어냐고 묻고 따지는 시선이 집요하고 차가웠다. 남자는 잊고 놓치고 감추려고 하는 소하를 꾸짖고 싶었던 듯했다.

소하는 양파를 썰다가 손을 베었다. 팔팔 끓는 냄비를 들어 올리다가 손가락을 데었다. 닭볶음탕에 어떤 양념을 넣어야 하는지 기억이 나지 않아 허둥거렸다. 갈비찜과 닭볶음탕과 잡채 레시피가 뒤죽박죽 엉켰다. 소하는 칼이며 도마며 국자며 언제부터였는지 기억조차 나지 않을 만큼 오랫동안 사용했던 조리 도구들이 낯설었다. 15년 전 분양 받아 줄곧 살고 있는 낡은 빌라의 좁고 어두운 주방이 서름하고 불편했다.

어질러진 조리대 앞에 서서 잡채를 무치다 말고 소하는 양념이 묻은 손가락을 코끝으로 가져다 댔다. 참기름 묻은 손이 번들거렸지만 고소한 냄새를 맡을 수 없었다. 잡채는 열 사람이 먹고 남을 만큼 양이 많았다. 밥솥에서 김이 올라오고 갈비찜이 익어가고 있었다. 반쯤 열어 둔 주방 쪽창 너머로 이웃들이 밝혀 놓은 불빛이 어룽거렸다.

소하는 식탁에 상을 차리기 시작했다. 밤늦은 시간에 생일잔치를 시작할 거라고 일러둔 탓에 배고픔을 참으며 교실에 남아 있을 율이 딱해서 마음이 아렸다. 식탁 가운데 자리를 비워 놓고 접시에 음식을 담아 날랐다. 밥그릇 네 개에 밥을 담고 미역국을 놓자 사인용 식탁이 꽉 찼다. 상자에서 생크림케이크를 꺼내 식탁 중앙에 놓고 후식으로 먹으려고 과일을 준비했다. 단단하고 울퉁불퉁한 파인애플 껍질을 잘라내자 소하가 손목에 찬 팔찌처럼 노란 빛깔을 띤 과육이 드러났다.

파이애플을 썰어 보기 좋게 접시에 담아 놓고 턱없이 양이 많은 잡채를 덜어 둘 찬합을 꺼내려고 찬장을 뒤지다가 유난히 잡채를 좋아했던 언니 주희의 얼굴이 떠올랐다. 아이가 셋인 주희가 걸어서 십 분 남짓 걸리는 가까운 곳에 살았을 때 소하는 잡채를 만들면 언제나 찬합에 싸들고 언니를 찾아갔다. 외동인 율은 사촌누나들과 어울리기 좋아해서 먹을거리를 만들지 않은 날에도 소하를 따라 이모 집으로 놀러 갔다. 소하가 주희에게 마지막으로 가져다준 음식은 잡채였다. 평소보다 고기를 많이 넣고 참기름이며 깨며 양념을 아끼지 않고 만들어 찬합에 담아간 잡채를 주희는 한 가닥도 먹지 못했다.

참기름 냄새가 고소하게 풍기고 윤기가 흘러 먹음직스럽게 보였던 잡채를 먹은 사람은 잠시 살림을 살아주러 온 주희의 시모였다. 짧은 투병을 끝내고 주희가 죽자 그녀의 시모는 세 아이를 데리고 서둘러 지방 도시로 떠났다. 멀건 죽마저 게워내기 일쑤였던 주희에게 먹을 수 없는 음식을 싸들고 갔던 소하는 그 후로 오랫동안 잡채를 만들지 못했다.

소하는 소파에 젖버듬히 기대앉아 거실 베란다 창 너머로 저무는 해를 바라보았다. 바쁘게 음식을 만드느라 주방이 정신없이 어질러져 있었지만 웬일인지 아무도 살지 않는 빈집인 듯 썰렁했다. 평생 단 한 번도 밥을 지은 적 없는 낯선 집 같았다. 거실 벽에 걸린 시계는 1년 6개월 전 율이 집을 나간 그날에 멈춰 있었다. 초침이 잠시도 쉬지 않고 움직였지만 시계는 한순간도 현재의 시각을 가리켜주지 않았다.

의미 없이 째깍거리던 초침 소리가 요란하고 난폭하게 들려오기 시작했다. 누군가 곡괭이와 쇠망치를 휘두르면서 벽을 부수고 있었다. 소하가 소파에 앉아 있는데도 아랑곳없이 거침없이 무기를 휘둘러댔다. 벽에 걸린 둥근 시계가 거실 바닥으로 떨어져 산산조각이 났다. 찻잔과 접시, 기념품을 넣어 둔 장식장이 넘어지자 사방으로 유리 파편이 날렸다. 바윗돌 떨어지는 소리를 내면서 32인치 구형 텔레비전 수상기가 바닥으로 굴렀다. 소하의 등 뒤로 벽과 기둥이 무너져 내리고 있었다. 콘크리트 덩어리가 떨어져 거실 바닥을 찍어 눌렀다. 부서지고 갈라진 벽 틈으로 녹슬고 휘어진 철근이 보였다. 한 무더기의 먼지구름이 폐허로 변해버린 집의 잔해를 덮고 삼켰다.

소하는 길 위에 있었다. 분홍색 보자기에 싼 찬합을 손에 들고 도망치듯 허둥거리면서 걷다가 뒤돌아보았을 때 집은 사라지고 보이지 않았다. 등 뒤에서 누군가 가만히 다가와서 손을 잡았다. 소하는 악력이 느껴지지 않는 커다란 손을 잡고 서서 비둘기색 교복 재킷을 입은 팔과 널

따란 등과 단단한 어깨를 가만가만 눈으로 더듬었다. 이름을 소리 내어 부르는 순간 아이가 사라질까 두려워서 보자기에 싼 찬합을 들고 있는 손에 힘을 주었다.

율은 발걸음 소리를 내지 않고 소하를 따라 걸었다. 돌아갈 집이 사라졌지만 율의 손을 잡고 걸을 수 있어서 안심이 되었다. 소하가 가려고 하는 곳이 어디인지 율은 알고 있는 듯했다. 잡채가 담긴 찬합을 들고 율과 함께 가야 할 장소는 한 곳뿐이었다. 목적지에 도착할 때까지 율의 손을 놓치지 않겠다고 생각하면서 소하는 천천히 걸음을 떼었다.

자동차가 한 대도 보이지 않는 4차선 차도 건너편 쪽으로 주희가 사는 아파트 단지가 보였다. 텅 빈 거리를 걷고 있는 사람은 소하와 율 단둘뿐이었다. 소하는 신기루처럼 보이는 도로를 향해 천천히 걸음을 옮겼다. 묻고 싶은 것이 많았지만 아무 말도 하지 않았다. 율이 언제부터 길에 서 있었는지 왜 집으로 돌아오지 않았는지 물을 수 없었다. 너무 오랫동안 잠을 잔 탓에 소하는 얼마만큼 시간이 흘렀는지 짐작하기 어려웠다. 시간은 모든 이들에게 동일한 속도로 흐르지 않았다. 멈춘 시간에 갇혀 있는 사람은 흐르는 시간을 따라잡을 수 없었다.

규를 기다리느라 시간이 훌쩍 지나가버린 줄 몰랐다고 율이 말했다. 악몽을 꾼 사람은 소화 혼자만이 아니었다. 길고 긴 꿈에서 깬다고 해도 율과 소하는 뭉텅이로 잘려나간 시간을 되찾아서 살 수 없었다. 섬에 가장 먼저 발을 디딘 사람은 석이었다. 율은 현의 손을 아프도록 꽉 붙잡고 땅 위로 올라섰다고 말했다. 4월의 섬은 유채꽃이 한 송이도 피어 있지 않았다. 흔하고 흔하다는 돌멩이 하나 눈에 띄지 않고 웬일인지 오가는 사람조차 볼 수 없었다. 파도가 높은 바다를 보고 서 있었지만 바람이 느껴지지 않았다. 오래전 엄마의 품에 안겨 이모와 함께 그 섬에 왔던 기억을 떠올릴 수 없었다. 노란 유채꽃이 바람을 따라 흔들리는 섬이 아름다웠다고 했던 엄마의 말을 믿기 어려웠다.

현과 석은 섬이 처음이었다. 섬은 단 한 번도 꽃을 피우지 않았던 곳처럼 황량했다. 추억할 것이 없는 아이들은 무덤 속처럼 조용한 그곳이 섬뜩하게 무서웠지만 내색하지 않고 규가 올라오기를 참을성 있게 기다렸다. 세 아이 중 누구도 먼저 선뜻 말을 하지 않았다. 바람이 없는 항구에서 몇 날 며칠을 서 있었는지 알 수 없었다. 배가 고픈 줄 몰랐고 졸리지도 않았다. 세 아이 모두 맨발이고 옷이며 먹을거리를 챙겨 넣어 온 배낭은 어디로 갔는지 보이지 않았다. 아이들이 타고 온 커다란 배는 한쪽으로 기울어진 채 물결이 잔잔한 바다 한가운데 위태롭게 떠 있었다.

먼바다 쪽에서 울부짖는 소리가 들려왔을 때 아이들은 너무 오랫동안 항구에 붙박여 있었다는 사실을 깨닫고 두려워졌다. 메아리 없는 울음과 누군가를 간절하게 부르는 소리를 듣고 마음이 아팠지만 아이들은 한 발자국도 움직일 수 없었다. 아이들은 바다 위를 떠도는 비탄에 잠긴 목소리를 들었다. 절망에 빠져 자식들의 이름을 부르는 엄마와 아버지의 외침을 속수무책으로 듣고 있어야 했다. 아이들은 규가 뭍으로 올라오면 각자의 집으로 돌아갈 수 있을 거라고 생각했다. 기우뚱거리며 중심을 잃고 쓰러진 배가 바닷속으로 잠기기 전에 구조선이 도착할 거라고 믿고 있었다.

커다란 배는 천천히 조금씩 가라앉았다. 수많은 사람들의 울부짖는 소리가 배의 침몰을 늦추지는 못했다. 아이들은 그럴 수만 있다면 바다로 뛰어들어 속절없이 가라앉고 있는 배를 끌어 올리고 싶었다. 바람조차 불지 않는 항구에서 아이들은 기다리는 수밖에 없었다. 바닷속이 얼마만큼 깊은지 짐작하기 어려웠다. 섬으로 가는 바닷길이 길고 험난할 거라고 어느 누구도 이야기해주지 않았다.

율이 여행을 떠났던 날 새벽, 엄마는 김밥을 싸고 간식을 챙겨주면서 말했다.

4월의 섬은 유채꽃이 한창일 거야.

꽃의 기억을 더듬으면서 엄마는 환하게 웃었다.

노랗게 무리지어 피어 있는 유채꽃밭에서 젖먹이를 품

에 안고 이모와 나란히 서 있었을 때 젊고 건강한 언니의 죽음을 짐작도 하지 못했던 엄마가 아들이 여행을 떠나는 날 새벽에 사위스러운 생각을 했을 리 없었다.

생명이 자라지 않는 섬에서 규를 기다리는 동안 지금껏 살아온 시간보다 더 많은 날들이 지나간 듯 율은 지쳤고 피곤이 몰려왔다. 애타게 아들의 이름을 부르며 울고 있는 엄마의 목소리에 응답할 방법을 알지 못했다. 엄마에게 돌아가려면 나이를 지우고 다시 갓난아기가 되어야 가능할 것 같았다.

배는 바닷속으로 완전히 가라앉고 보이지 않았다. 구조선은 오지 않았다. 흰 꽃송이와 울음소리가 떠다니는 바다 위로 고기잡이배 한 척이 나타났을 때 세 아이는 동시에 미끄러지듯 강기슭 쪽으로 달려갔다.

늙고 선량한 어부가 부지런히 노를 저어 강기슭에 배를 대자 아이들은 규의 이름을 소리쳐 불렀다. 크고 건장한 규의 몸을 힘겹게 일으켜 세우고 등에 둘러업은 어부가 힘겹게 땅 위로 발을 내디뎠다. 오랫동안 물속을 떠돌아다녔던 규의 젖은 몸이 마른 땅 위에 눕혀졌다. 어부가 가쁘게 숨을 몰아쉬면서 규의 젖은 몸을 반듯하게 펴주었다. 아이들은 규의 머리와 가슴과 발을 어루만지면서 말이 되어 나오지 않는 친구의 이름을 불렀다.

다섯 개의 발가락이 온전히 붙어 있는 규의 차가운 발을 천천히 어루만지고 있을 때 등 뒤로 누군가 다가오는 기척이 느껴졌다. 4월의 따뜻한 바람이 율의 뺨을 스치고 지나갔다. 바람이 부는 쪽으로 천천히 고개를 돌리고 파란빛이 도는 이파리 위로 4장의 꽃잎이 맞붙어 피어 있는 노란 유채꽃을 보았다. 생명이 심기지 않은 황량한 땅 위로 노란 꽃들이 다투기라도 하듯이 피어나고 있었다. 잔잔한 바람이 불어오자 섬은 온통 노란빛으로 물결치며 출렁거렸다.

노란 물결로 굽이치는 유채꽃이 아름다웠다고 율이 말했다. 한 걸음씩 발을 내디딜 때마다 조금씩 작아지는 아이의 손을 느끼면서 소하는 조용히 고개를 주억거렸다.

텅 빈 차도를 건너기 전에 소하는 발에 꿰어 신은 구두를 벗었다. 맨발로 아이와 나란히 서 있는 소하의 등 뒤로 노란 꽃들이 나비가 되어 날았다.

소하는 차도 한가운데에서 불현듯 멈춰 섰다. 율이 노란 나비가 되어 날아가기 전에 품에 안고 싶었다. 오래전 유채꽃이 만발했던 섬에서 그랬듯 잠든 아이를 안고 꽃밭을 노닐고 싶었다. 소하는 분홍색 보자기에 싼 찬합을 차도 위에 내려놓고 몸을 낮춰서 율을 향해 두 팔을 벌렸다. 첫 걸음마를 시작했을 때처럼 작아진 아이는 망설이지 않고 소하의 품으로 뛰어들어왔다.

소하는 노란 나비를 향해 옹알이하는 아이를 품에 안고 작고 가느다란 열 개의 발가락을 차례차례 어루만졌다. 굳은살 하나 없는 연약한 두 발이 소하의 자궁에 움츠리고 있었을 때처럼 조용히 꿈틀거렸다. 소하의 품에 안기자 율은 두려움을 잊었다. 먼 길을 떠돌아다니다가 마침내 엄마의 품으로 돌아온 율은 슬픔과 고통을 알지 못하는 무구한 아기가 되었다.

텅 빈 4차선 도로는 율이 살아야 했던 시간처럼 한정 없이 길게 뻗어 있었다. 소하는 서두르거나 망설이지 않고 도로를 가로질러 건너갔다. 주희가 살았던 아파트는 까마득하게 멀어서 닿을 수 없는 세계 같았다. 소하는 맨발에 닿는 찬 기운을 느끼지 못했다. 돌멩이에 채인 발이 찢기고 피가 흘렀지만 눈치채지 못했다. 율이 주먹을 쥔 작은 손으로 소하의 가슴을 더듬었다. 소하는 노란 물결을 이루어 피어 있는 꽃밭으로 가서 율에게 젖을 물리고 싶었다.

소하는 주희가 살지 않는 주희의 집을 향해 머뭇거리지 않고 걸어갔다. 율이 살지 못한 시간을 되찾아 주려면 주저앉아 있지 말아야 했다. 넘어질까 두려워하지 않고 걸음마를 배웠던 아이를 위해 소하는 다시 몸을 내주고 엄마가 되어야 했다.

누렇게 무리지어 출렁거리던 꽃이 지고 있었다. 나비가 날아다니는 유채 꽃밭에서 열매를 담은 꼬투리가 아우성치며 돋아났다. 품에 안은 아기는 눈에 띄지 않을 만큼 작아져서 어느 순간 보이지 않았다. 소하는 깊은숨을 내쉬면서 주희가 살았던 아파트 창문 쪽을 바라보았다. 차도 하나를 사이에 두고 오갔던 길이 가늠할 수 없을 만큼 멀게 느껴졌다. 결코 도달할 수 없는 그 길 위에서 소하는 잃어버린 아이를 다시 품을 수 있었다.

아파트 중앙현관으로 이어진 돌계단 쪽으로 걸어가고 있을 때 차가운 바람이 불어왔다. 돌계단 옆으로 이파리를 떨군 은행나무 한 그루가 서 있고 사람들의 발길에 터지고 뭉개진 은행 열매들이 길바닥에 함부로 흩어져 있었다. 몸을 구부리고 앉아 바람을 따라 굴러온 터진 열매 하나를 손으로 집었다가 역겨운 냄새를 맡고 진저리쳤다. 열매를 만진 손에서 구리터분한 냄새가 진동했다. 고약한 냄새를 풍기는 열매 때문에 꼼짝할 수 없었다. 소하는 은행 열매가 널린 길에 주저앉아 정신없이 마른구역질을 했다. 구역질은 좀처럼 멈추지 않았다.

아무것도 게워내지 못하고 마른구역질을 하면서 소하는 밋밋한 배를 손바닥으로 가만가만 어루만졌다. 입덧은 아이가 제 존재를 알려주는 첫 번째 신호였다. 이제 소하는 냄새가 사라진 세계에 머물러 있을 수 없었다. 역하고 구린 냄새를 온몸으로 느끼고 견디면서 감당할 수밖에 없다고 생각했다.

상처 난 열매가 구르는 길가에 오가는 사람은 보이지 않았다. 구역질이 멎자 소하는 손바닥으로 땅을 짚고 힘겹게 일어섰고 주희의 집 창문 쪽을 일별하고 율과 함께 걸어왔던 길을 맨발로 되짚어서 걷기 시작했다.

손바닥으로 밋밋한 배를 어루만지다가 소하는 잠을 깼다. 격렬했던 구토는 사라지고 허기가 밀려들었다. 소파에 모로 누워 손바닥으로 두 발을 더듬어 만졌다. 발바닥에 닿았던 차고 단단한 땅의 감촉이 생생했다. 길바닥에 나뒹굴던 은행 열매를 떠올리자 금방이라도 구린내가 진동할 것 같았다. 소하는 담요를 걷고 일어나 어둑어둑한 거실을 둘러보았다. 소파에서 잠든 소하를 깨우지 않고 담요를 덮어준 경수는 어디에 있는지 기척이 없었다.

소하는 베란다 창 너머로 이웃들이 밝혀 놓은 불빛에 의지해서 주방으로 건너갔다. 주방 등을 켜자 빈 식탁의자와 차갑게 식은 음식이 보였다. 파인애플 껍질이 널린 주방 조리대 위에 노란 과육이 담긴 접시가 놓여 있었다. 소하는 싱크대 서랍에서 비닐봉지를 꺼내 파인애플 껍질을 주워 담고 접시에 수북한 과육 한쪽을 집어 입에 넣었다.

입가에 흘러내리는 과즙을 손바닥으로 훔치면서 소하는 다시 파인애플 한쪽을 집어 들었다. 이 사이에서 씹히는 시고 달콤한 과육의 맛을 느끼는 순간 구역질이 치밀었지만 토해내지 않았다. 안방에 걸린 뻐꾸기시계가 요란하게 울기 시작했다. 뻐꾸기가 성마르게 열 차례 연거푸 울었을 때 접시에는 과육이 하나도 남아 있지 않았다.

생일잔치를 시작해야 할 시간이었다. 소하는 텅 빈 거실을 발맘발맘 걸어 불빛이 새어나오는 율의 방으로 갔다. 방문 앞에서 무춤 서서 노크를 하고 문을 열었다. 싱글침대와 옷장, 책상과 책꽂이가 기역자로 놓인 작은 방은 창문이 빈틈없이 닫혀 있었다. 방은 율이 여행을 떠난 날 그대로였다.

"규가 올라왔어."

방문을 등지고 책상에 앉은 경수가 고개를 천천히 돌리고 소하를 바라보면서 말했다. 소하는 얼굴에 미소를 지으면서 고개를 끄덕였다.

"알고 있었구나."

액자에 끼워진 율의 사진을 손바닥으로 어루만지면서 경수가 말했다.

"오래 기다렸는데……. 정말 오래 기다렸었는데. 다행이야."

액자 틀을 책상 위에 올려놓고 경수가 혼잣말처럼 중얼거렸다.

소하는 아이들이 기다리고 있으니까 나오라고 경수에게 말하고 주방으로 건너갔다. 생일잔치를 시작해야 할 시간이었다. 너무 늦지도 이르지도 않았다.

경수는 차갑게 식은 음식을 거둬 가스불에 데우는 소

하를 바라보면서 조용히 식탁에 앉았다. 소하는 네 아이 몫의 국과 밥을 식탁에 놓고 두 사람이 먹을 밥과 국을 챙겨 경수와 마주앉았다.

아이들이 먹기를 기다렸다가 소하는 숟가락을 들고 미역국을 떠먹기 시작했다.

"당신, 괜찮은 거야?"

미역 건더기를 건져 먹는 소하를 물끄러미 바라보면서 경수가 조심스럽게 물었다.

"율이 다녀갔어요."

미역 건더기를 천천히 씹어 삼키고 얼굴에 미소를 지으면서 소하가 대답했다.

좋은 어머니들

어머니의 병세가 위중해졌으니 서둘러 귀향하라는 동생의 전화를 받고 재욱은 급하지 않은 몇 가지 일을 느릿느릿 처리한 뒤 아내와 상의 없이 이튿날 아침에 출발하는 비행기 표 한 장을 예매했다. 여든여덟 살 어머니는 지난 몇 년 동안 입원과 퇴원을 반복하고 있었다. 몇 차례 위험했던 고비가 없지는 않았지만 30여 년 전 어머니가 손수 구입해서 장롱 깊숙이 넣어 둔 수의는 꺼낼 일이 생기지 않았다. 홀로 억척스럽게 세 아들을 키워냈던 어머니는 호락호락 명줄을 놓칠 사람이 아니었다.

한 시간 남짓 입원실 침상 곁을 지키고 있는 동안 어머니는 눈을 뜨지 않았다. 막냇동생 종욱은 두어 시간 병실에 있어달라고 재욱에게 부탁하면서 어머니가 종이기저귀를 차고 있으며 갈아줘야 할 일이 생길지 모른다고 귀띔해주었다. 고향에서 제수와 함께 식당을 하는 종욱은 어머니가 병원에 입원할 때마다 간병을 도맡아 해왔다. 곁에서 모시지 못하는 재욱이 비용을 대겠으니 전문 간병인을 구하라고 말해도 어머니가 원하지 않고 종욱 역시 간병하는 일이 힘들다고 하지 않았다.

대나무처럼 꼿꼿했던 어머니는 바싹 말라서 얼굴이며 팔이며 살점이 하나도 붙어 있지 않았다. 재욱이 온 줄 알았다고 해도 어머니는 반가워했을 리 없었다. 명절과 크고 작은 집안 행사 때마다 어머니는 큰아들을 어려운 손님처럼 맞았다. 재욱이 좋아하는 돔 회며 매운탕이며 정성스럽게 음식을 만들어 대접했지만 행여 책망을 당할까 눈치 보고 조심하는 기색이 역력했다. 한 치도 소홀함 없이 먹을거리를 챙기고 잠자리를 살피는 어머니의 모습은 객지에서 내려온 큰아들이 아니라 까다롭고 불편한 손님

치레를 하는 듯했다. 빈틈없이 챙기고 대접해주고 혹여 부족할까 전전긍긍하는 어머니가 불편해서 고향집에 와도 재욱은 오래 머물러 있지 못했다.

느닷없이 침상 주위로 역한 구린내가 진동했다. 어머니는 아무것도 모른다는 듯 두 눈을 감은 채 꼼짝하지 않았다. 잠을 깨지 않았다고 속이고 싶었을 테지만 네 명의 환자가 입원해 있는 병실 공기를 점점 더 숨 막히게 만드는 악취를 감출 수 없었다. 무엇을 어떻게 해야 할지 몰라 허둥거리다가 재욱은 개인 수납장을 열어 놓고 차곡차곡 쌓여 있는 환자용 종이기저귀 틈에서 에멜무지로 한 장을 꺼냈다. 오래전 두 아이를 키울 때 대소변이 묻은 기저귀를 갈아주었던 기억을 떠올리기 어려울 만큼 손에 들린 물건이 불편하고 난감해서 재욱은 선뜻 어머니에게 다가가지 못하고 쭈뼛거렸다.

어머니는 깊이 잠들었다고 시위라도 하는 양 완강하게 눈을 감고 있었다. 설령 억지로 눈을 뜨게 만든다고 해도 어머니의 옷을 벗길 수 없었다. 순순히 아랫도리를 맡길 어머니가 아니었다. 종이기저귀를 침상 발치에 던져 놓고 재욱은 복도로 걸어나갔다. 난처한 상황에서 벗어나려면 종욱에게 전화를 걸어 자초지종을 이야기할 수밖에 없었다.

종욱은 곧장 병원으로 오겠다며 걱정하지 말고 기다리라고 말했다. 재욱을 탓하거나 어머니를 성가셔 하지 않았다.

통화를 하고 십여 분이 채 지나지 않아서 종욱이 병실에 도착했다.

"우리 엄마, 아기지? 그래서 기저귀에 실례하는 거잖아."

침상 주위에 커튼을 둘러쳐 놓고 종욱이 어머니를 달래고 어르는 동안 재욱은 병실 입구 쪽에 어정쩡한 자세로 서 있었다. 잠투정하면서 보채거나 먹지 않으려고 떼쓰는 아기를 보듬고 타이르는 듯 믿을 수 없을 만큼 나긋나긋하고 살가운 목소리가 들렸다.

“깨끗하게 닦아줄게요. 걱정하지 않아도 돼요. 옳지, 우리 엄마 참 착하네.”

어머니의 목소리는 들리지 않았다. 얼굴 표정을 볼 수 없었다. 재욱은 오물로 범벅이 돼 있을 어머니의 아랫도리를 상상하지 않았다.

어머니 곁에 있어도 딱히 할 일이 있을 것 같지 않았다. 임종을 준비해야 할 만큼 어머니의 상태가 나빠 보이지 않았지만 곧바로 비행기를 타겠다고 말할 수 없는 노릇이었다.

병원을 나와 길을 걷다가 재욱은 기사식당 간판이 붙어 있는 식당으로 들어갔다. 점심을 먹지 않아서 배가 고픈데다가 술을 한잔 마시고 싶었다. 설렁탕과 소주를 주문하고 깍두기를 안주로 술을 마셨다. 어린아이에게 하듯 다정하게 어머니를 달래고 돌보는 종욱이 대견했지만 소외감을 떨칠 수 없었다. 어머니와 종욱은 친밀감을 넘어서 특별한 애정으로 이루어진 모자지간이었다.

수차례 어머니를 모시고 살고 싶다는 뜻을 내비쳤지만

재욱은 번번이 거절당했다. 맞벌이하는 큰아들 내외에게 폐를 끼치고 싶지 않고 고향을 떠날 수 없다는 이유였다. 어머니는 재욱과 재욱의 아내가 은퇴하고 한가한 시간을 보내기 시작했을 무렵 암 진단을 받았다. 입원할 병원을 수소문하면서 재욱은 어머니를 서울로 모시고 오라고 종욱에게 전화를 걸어 말했다. 수술을 받으면 어머니를 집으로 모셔와 돌봐드리자고 이야기했을 때 재욱의 아내는 토를 달지 않았다.

어머니를 간병하면서 마음의 짐을 덜고 싶었다. 다달이 어머니 앞으로 용돈을 보냈고 종욱에게 목돈을 보내거나 자동차를 바꿔주었지만 동생에게 어머니를 떠맡긴 부담은 덜 수 없었다. 시집살이는커녕 이따금 내려가도 큰며느리라고 딱히 할 일이 많지 않았던 아내는 말년의 시어머니를 봉양하는 의무를 당연하게 받아들이려는 눈치였다. 40년 넘게 섬과 육지로 떨어져 살았던 탓에 멀게 느껴졌을 뿐 재욱은 어머니가 싫다거나 부담스럽지 않았다.

어머니는 육지로 오지 않았다. 자궁에서 자라는 암세포보다 비행기를 더 무서워했다. 평생 한 번도 타지 않은 비행기를 억지로 태울 수 없었다. 시간이 오래 걸리더라도 배를 타고 오시라고 우기기 어려웠다. 어머니는 섬에 있는 종합병원 산부인과에 입원하고 수술을 받았다. 대기실에 앉아 수술이 끝나기를 초조하게 기다리다가 재욱은 어머니를 모시고 갈 수 없다면 차라리 자신이 고향으로 내려와서 살아야겠다고 생각했다. 큰아이는 결혼을 했고 작은아이는 직장 가까운 곳에 방을 얻어 혼자 지내고 있었다. 은퇴 후 소일거리 없이 지루한 시간을 보내고 있는 재욱과 달리 등산이며 친목계 따위로 바쁘게 하루하루를 보내는 아내에게 고향으로 내려가서 살자고 하면 선선히 그렇게 하자고 할지 확신이 서지 않았지만 종욱과 먼저 의논하고 나서 말을 꺼내도 늦지 않을 듯했다.

수술이 끝난 뒤 재욱은 아내와 함께 병실로 가서 어머니가 마취에서 깨어나기를 기다렸다. 주치의는 환자가 고령이라 수술이 잘되었지만 재발하거나 전이될 확률이

높고 예후가 비관적이라고 말했다. 재욱은 말년에 투병을 하며 살아야 할 어머니가 안타까웠다. 홀몸으로 아들 셋을 키우고 뒷바라지했던 어머니는 평생 늙거나 병들지 않을 사람처럼 강단 있게 살았다. 거센 바닷바람을 맞으며 살았던 탓에 거칠고 두꺼워진 피부처럼 어머니는 쉽게 속내를 드러낸다거나 인정에 쏠려 마음이 약해졌던 사람이 아니었다. 어머니가 아들 셋 중 유독 둘째에게 모질고 냉정했던 까닭을 재욱은 여전히 알지 못했다.

마취에서 깨어나자 어머니가 종욱을 찾았다. 통증으로 얼굴을 찌푸리면서 막내의 손을 붙잡고 놓으려고 하지 않았다. 병풍처럼 둘러 서 있던 재욱과 재욱의 아내는 하릴없이 병실을 나왔다.

어머니가 회복되기를 기다리면서 재욱은 아내와 함께 포구에 있는 식당이 딸린 고향집에서 머물렀다. 이층에 민박을 치는 방이 있었지만 비어 있는 어머니의 방에서 아내와 함께 묵었다. 세월과 함께 낡아가는 오래된 장롱과 문갑이 놓인 방은 먼지 한 톨 없이 깨끗했다. 입원을 앞두고 방을 쓸고 닦으면서 부지런을 떨고도 남았을 어머니였다.

재욱은 흐트러진 어머니의 모습을 본 적이 없었다. 어머니는 아들만 키우는 여느 어머니들처럼 목청을 높이지 않았다. 초등학교를 다닐 때부터 늘 1등을 놓치지 않았던 재욱은 어머니의 자랑이었다. 잔소리 들을 일이 없는 모범생이었던 재욱과 애지중지 귀여움을 받고 자랐던 종욱과 달리 성욱은 천덕꾸러기였다. 둘째는 심성이 사납거나 거칠지 않았다. 군대를 면제받을 만큼 병약했던 성욱에게 어머니는 차갑고 무관심했다.

사진첩 하나가 먼지를 뒤집어쓰고 장롱 위에 놓여 있었다. 재욱은 먼지가 날리지 않게 조심하면서 죽은 동물의 뼈처럼 세월과 함께 삭아가고 있는 사진첩을 꺼냈다. 머리카락 한 올 보이지 않게 부지런을 떨면서도 장롱 위에 쌓인 묵은 먼지를 털어낼 생각은 하지 못했던 어머니가 딱하게 느껴졌다. 젖은 걸레를 가져와 먼지를 닦아내자 사진첩 겉장에 새겨진 글자와 그림이 마른 나뭇잎처럼 바스러지면서 떨어져 나왔다. 어머니는 장롱 위에 사진첩을 올려놓고 아주 잊고 살아온 것이 틀림없었다.

걸장을 넘기자 누렇게 색이 바랜 비닐에 덮여 있는 사진들이 보였다. 30대 초반으로 보이는 아버지는 명함판 크기의 사진 한 장으로 남아 있었다. 너무 일찍 죽어버린 아버지의 유일한 사진이었다. 알몸으로 찍은 돌 사진은 재욱이 아니었다. 어머니 품에 안긴 발가벗은 아이는 막내 종욱이었다. 첫 돌을 앞두고 동네 사진관에서 찍은 사진이었다. 막내가 첫 돌을 맞았을 때 초등학교 6학년이었던 재욱은 그날 일을 어렴풋이 기억하고 있었다. 재욱과 성욱의 돌 사진은 없었다.

재욱의 초등학교 졸업식 사진이 몇 장 있었다. 집에 사진기가 없어서 빌려 찍었던 기억이 났다. 중학교와 고등학교 졸업식도 몇 장의 사진으로 남아 있었다. 이웃집에서 빌려 온 사진기로 이모가 사진을 찍어주었던 고등학교 졸업식 날을 재욱은 또렷이 기억했다. 한복을 곱게 차려입은 어머니가 꽃다발과 졸업장을 손에 든 재욱 옆에 다소곳이 서 있었다. 우수한 성적으로 고등학교를 졸업하고 서울의 명문대학에 합격했던 재욱은 어머니나 이모들뿐 아니라 학교의 자랑거리였다. 하숙집을 얻기 위해 재욱은 대학교 입학을 한 달 앞두고 상경했다. 입학식 날 어머니는 오지 않았다. 하숙비를 올려보낸다거나 하는 특별한 날이 아니면 어머니는 전화를 하지 않았다. 입에 맞지 않은 하숙집 밥을 먹고 낯선 길을 오가면서 재욱은 어머니가 명문 대학에 입학한 큰아들이 대견해서가 아니라 눈앞에서 멀어지면 마음의 짐을 덜 수 있을 거라는 생각으로 환하게 웃으며 기뻐했을 거라고 넘겨짚었다.

고등학교 졸업식을 끝으로 재욱의 사진은 없고 때마다 찍은 막내의 사진이 사진첩에 가지런히 끼워져 있었다. 군대 내무반에서 찍은 종욱의 사진이 몇 장 보였다. 집집마다 카메라를 하나씩 사들이는 일이 더이상 어렵지 않을 만큼 세월이 흐르고 흑백에서 컬러로 필름이 바뀌었지만 사진첩의 사진들은 막내의 이십 대 모습에서 정지되어 있었다.

텔레비전 연속극을 보고 있던 아내가 재욱이 방바닥에 펼쳐 놓은 사진첩으로 시선을 돌렸다. 늙어서 머리가 성성해진 남편의 젊은 날 모습이 낯설고 신기하고 재미있다는 듯 아내는 입가에 미소를 지었다.

"가족사진이 한 장도 없네요. 어머님, 아버님이 함께 찍은 사진도 없고. 당신, 아버님 얼굴 기억해요?"

아내가 건성건성 사진첩을 넘기면서 재욱에게 물었다.

재욱은 아버지의 얼굴을 기억하지 못했다. 사진첩에 있는 젊은 남자가 아버지라고 알고 있을 뿐이었다. 집집마다 제수용품을 장만하느라 분주한 음력 5월 초순경에 제사를 지냈지만 어머니는 아버지가 돌아가신 정확한 날짜를 알지 못했다.

아내의 물음에 대답하지 않고 재욱은 낡은 명함판 사진을 손가락으로 가리켰다.

"이 분이 아버님이라고요? 당신하고 하나도 안 닮았네. 젊었을 때 찍은 사진이라고 해도 생판 남 같잖아요. 서방님과 닮지도 않았고."

딱딱하게 굳은 재욱의 얼굴을 살피다가 아내는 잠자코 텔레비전 화면 쪽으로 고개를 돌렸다.

어린 시절 재욱이 살았던 섬은 아버지가 없어도 크게 허물이 되지 않았다. 남자 어른들은 죽었거나 행방불명되었거나 육지로 떠났거나 했다. 물질을 하거나 민박을 치거나 장사를 하면서 억척스럽게 혼자 자식들을 키웠던 여자들의 집에서 이따금 갓난아기 울음소리가 들렸다. 아기의 아비가 누구인지 묻는 사람이 없었다. 동기간이 아니더라도 여자들은 품앗이를 하듯 이웃의 아이들을 돌봐주었다. 여자는 바람과 돌처럼 흔하디흔한 존재였지만 서로 돕지 않으면 살아가기 어려웠던 시절이었다.

어머니가 명함판 사진을 언제 처음 보여주었는지 재욱은 기억하지 못했다. 아버지 없이 살았지만 아버지 없이 세상에 태어난 자식이 있을 리 만무했다. 어머니는 체크무늬 넥타이를 매고 감색 양복을 입은 남자 어른 사진 한 장을 꺼내 보여주면서 그 사람이 아버지라고 말했다. 가슴 위쪽으로 상체만 인색하게 찍혀 있는 남자 어른의 사진을 문갑에 넣어 놓고 아버지에 대해 물을 때마다 꺼내 보여주었다. 재욱과 네 살 터울로 태어났던 둘째가 아버지를 궁금해할 만큼 자랐을 때 어머니는 다시 문갑을 뒤져서 사진을 꺼냈다. 둘째와 여덟 살 터울이 지는 막내가 자라 아버지가 어떤 사람인지 물을 나이가 되자 어머니는 망설이지 않고 문갑을 열어 흘러간 시간만큼 빛이 바랜 남자 어른의 주름살 하나 없는 사진을 꺼내 보여주었다.

어느 날 어머니는 두툼한 사진첩을 사가지고 와서 아버지가 누구냐고 묻는 자식들에게 증거를 내밀듯 언제라도 꺼내 보여주었던 남자 어른 사진을 투명 비닐을 들추고 끈적끈적한 접착제가 묻어 있는 자리에 고정시킨 뒤 비닐을 덮어 눌러놓았다.

유독 막내에게 다정했지만 어머니는 아버지 사진을 보여줄 때만큼은 삼형제 모두에게 공평했다. 더이상 아버지가 누구인지 묻지 않을 만큼 나이를 먹었을 때 재욱에게 아버지란 고작 사진 한 장 크기의 그리움으로 남았다.

수차례 사진을 보았다고 해도 떠오르지 않는 기억을 억지로 만들어낼 수 없었다.

재욱과 재욱의 아내가 병실에 있으면 끼니때가 돼도 어머니는 밥을 먹지 않았다. 어머니가 퇴원을 서둘렀던 까닭은 큰아들 내외와 함께 있는 시간이 불편하고 힘들었기 때문이었다. 재욱은 막내처럼 살갑지 않고 서먹서먹하기는 아내 역시 마찬가지였다. 늙고 병들었지만 재욱에게 짐을 지우지 않겠다는 어머니의 고집은 완강했다. 장자의 도리를 하려고 했을 뿐 어머니의 진심을 알려고 애쓰지 않은 과오를 뒤늦게 깨닫고 재욱은 자책하며 후회했다. 막내에게 어머니를 부탁하고 택시를 불러 공항으로 가면서 고향으로 돌아와 살려고 했던 계획을 머릿속에서 지워버렸다.

어머니는 퇴원 후 주기적으로 병원으로 가서 항암치료를 받았다. 병세가 악화되어 입원과 퇴원을 반복하는 동안 재욱은 종욱의 은행계좌로 매달 치료비와 간병비로

쓸 돈을 넉넉하게 입금했고 아버지의 기일이 돌아오면 어머니를 대신해서 간소하게 제사를 올렸다.

어머니는 재욱이 여섯 살 되던 해 아버지의 첫 제사를 지냈다. 명함판 사진으로 보았던 남자 어른이 언제 어떻게 죽었는지 어머니는 알지 못했다. 제사를 지내면서 어머니는 아버지의 죽음을 확정지었다. 이웃집에 향불이 타오르는 날짜에 맞춰 제사를 지내면서 어머니는 마음의 안정을 찾아가는 듯했다. 젖을 먹이다 말고 야멸치게 떼어냈었던 둘째를 새삼스럽게 보듬어 안고 토닥거렸다.

어머니는 사진을 보여주었을 뿐 아버지가 어떤 사람이었는지 말해주지 않았다. 키가 얼마나 컸는지 목소리는 어땠는지 어부였는지 군인이었는지 재욱은 알지 못했다. 남자 어른들을 태우고 나가 돌아오지 않는 배를 기다리며 상심에 잠겼던 어머니는 이듬해 겨울 달수를 전부 채우지 않은 둘째를 낳았다. 어머니는 병약하게 태어난 아기를 살뜰하게 돌보지 않았다. 네 살 터울의 형에게 어린 동생을 맡겨두고 이른 아침에 물질을 나가면 어두워져서

야 집으로 돌아왔다.

둘째의 몸이 불덩어리처럼 뜨겁게 달아올랐던 날에도 어머니는 바다로 나갔다. 어둠이 내리고 어머니가 집으로 돌아올 때까지 물에 적신 수건으로 동생의 이마와 얼굴을 닦아주었지만 열은 내리지 않았다. 한밤중에 재욱은 신음을 듣고 눈을 떴다. 둘째의 머리맡에 어머니가 앉아 있었다. 대야에 떠온 물로 수건을 빨아 둘째의 이마에 얹어주면서 어머니는 알아들을 수 없는 말을 중얼거렸다. 둘째는 열흘 가까이 열과 씨름을 벌였고 어머니와 재욱은 낮과 밤을 번갈아 가며 간호했다.

둘째가 잘 듣지 못했지만 어머니는 금방 눈치채지 못했다. 뒤늦게 병원에 데리고 갔을 때 둘째는 거의 들을 수 없고 죽을 때까지 그렇게 살아야 한다는 무서운 사실을 의사의 입을 통해 확인할 수 있었을 뿐이었다. 어머니는 물질을 그만두고 포구에 가게를 얻어 밥을 팔았다. 둘째가 여섯 살이 되었던 해였다.

재욱이 고등학교를 졸업하고 섬을 떠났을 때 둘째는

열다섯 살이었다. 둘째는 초등학교를 3학년까지 다니다가 그만두고 온종일 방에 틀어박혀 있었다. 방 귀퉁이에 쭈그리고 앉아 책을 읽거나 공책에 무언가를 끼적거리는 둘째가 무슨 생각을 하는지 재욱은 짐작할 수 없었다. 입 모양을 살피면서 말을 알아듣는 듯했지만 둘째는 좀처럼 제 마음을 표현하지 않았다. 용돈이 생길 때마다 재욱은 헌책방으로 가서 닥치는 대로 책을 사왔다. 둘째는 읽을 수 있는 것이라면 종류를 가리지 않았다. 재욱이 철지난 잡지와 소설책 따위를 한 보따리 사들고 집으로 돌아오면 둘째의 순한 얼굴에 웃음이 돌았다.

대학을 다니는 동안 재욱은 학교 앞에 있는 헌책방을 규칙적으로 드나들었다. 책이 모이면 우체국으로 가서 둘째에게 소포를 부쳤다. 재욱이 신중하고 정성껏 골랐던 책들이 둘째의 방에 쌓여 갔다. 사면 벽을 꽉 채우고 입구까지 책들로 빼곡한 헌책방이 사라지지 않는 한 읽을거리가 없어서 둘째가 멍하니 홀로 방에 앉아 있을 염려는 없었다.

입대를 하면서부터 더이상 책을 살 수 없었다. 여러 번 읽어서 내용을 환히 알고 있는 손때 묻은 책을 펼치고 앉아 있을 둘째의 모습을 떠올릴 때마다 재욱은 막막했고 병영에 갇힌 채 영영 돌아갈 수 없을까 봐 두렵고 조급해졌다.

제대를 하고 고향집으로 돌아가는 길에 재욱은 헌책방에 들러 소설책 몇 권을 샀다. 포구와 집과 어머니는 변함이 없었다. 둘째는 그림처럼 조용히 앉아 있었다. 책을 건네주자 손으로 더듬어서 만져볼 뿐 웬일인지 펼쳐 읽으려고 하지 않았다.

재욱은 복학하기 전까지 고향집에 머물러 있을 계획이었다. 서울로 떠나기 전에 둘째를 헌책방으로 데리고 가려고 했다. 둘째를 좁은 방에 평생 갇혀 살게 할 수 없다고 생각했다. 산더미처럼 쌓여 있는 책을 뒤져서 찾아내는 일을 둘째 스스로 할 수 있게 도와야 했다. 어머니는 둘째의 외출을 허락하지 않았다. 재욱에게 더이상 책을 사올 필요가 없다고 말했다.

"글자를 못 본다. 나도 한참을 모르고 있었어."

재욱은 어머니가 무슨 말을 하는지 금방 알아듣지 못했다.

"사람들 얼굴을 못 알아보는 것 같더라. 언제부터 그랬는지 나도 모른다."

병원에서 의사가 환자에게 병명을 알려줄 때처럼 어머니는 감정이 느껴지지 않는 건조한 목소리로 말했다.

"내가 지고 가야 할 짐이고 업보다. 너는 마음 쓰지 마라."

일말의 기대마저 잘라내려는 듯 어머니는 담담한 얼굴로 야멸치게 말했다.

재욱은 창문 너머로 포구가 보이는 방을 죽을 때까지 벗어날 수 없는 둘째가 가여워서 울음을 삼켰다. 슬픔과 공포로 일그러진 둘째의 야윈 얼굴을 차마 바라볼 용기가 나지 않았다.

기사식당을 나와서 차도를 따라 걸었다. 재욱은 섬에

서 하룻밤을 보내고 집으로 돌아가야 했다. 어머니가 목숨 줄을 놓지 않는 한 하릴없이 다시 비행기를 탈 수밖에 없었다. 섬은 마음 편하게 머물 수 있는 장소가 아니었다. 열아홉 살 겨울, 포구에 있는 어머니의 집에서 추방당했던 재욱은 육지를 떠나 고향으로 돌아올 수 없는 사람이었다.

낮술에 취해 걷다가 정류장에 정차한 낯익은 버스 번호판을 보고 무춤 멈춰 섰다. 병원 근처에 있는 여관이나 모텔에서 잠을 자고 아침에 어머니의 얼굴을 한 번 더 본 후 집으로 돌아가려고 했는데 재욱은 무심코 버스에 올랐다.

해가 저물 무렵 포구에 도착했다. 날씨가 춥지 않았지만 바람이 차가웠다. 재욱은 외투 깃을 여미고 고기잡이 어선 몇 척이 정박해 있는 바다 쪽으로 걸어갔다. 자궁암 진단을 받기 전까지 어머니가 수십 년 동안 비늘을 벗기고 생선을 손질해서 매운탕을 끓였던 식당이 지척에 있었다. 섬에서 대학을 중퇴하고 몇 군데 직장을 옮겨 다녔던 막내는 결혼을 하면서 제수와 함께 식당 일을 돕기 시작했다. 재욱은 나이 차가 많이 나는 제수가 어려워서 아내와 동행하지 않으면 고향집에 발걸음하기가 꺼려졌다.

포구가 내다보이는 방은 창문이 닫혀 있었다. 시력이 가물가물해지는 눈으로 둘째가 창문 너머 펼쳐진 바다를 바라보고 있었다. 소리가 사라진 바다였다. 폭풍이 치고 천둥이 지축을 흔들어도 세상은 고요했다. 창문을 열면 뺨을 후려치면서 지나가는 거센 바람을 느낄 수 있었다. 온통 어둠으로 둘러싸인 세상이었다.

재욱은 둘째가 살았던 침묵과 어둠의 세계를 상상하기 어려웠다. 어느 날 갑자기 들을 수 없게 되었을 때 그랬듯이 둘째가 볼 수 없는 세상을 체념하듯 받아들이기를 바랐다. 누구도 원망하지 않고 온순하게 운명과 타협했던 둘째가 목숨을 내걸고 저항할 거라고 예상하지 못했다.

손님은 등산복 차림의 남자 하나뿐이었다. 매운탕 냄비가 놓인 탁자 위에 반찬 그릇 두어 개와 소주병이 보였다. 앞치마를 두른 젊은 여인이 혼자 앉아 소주를 따라 마시고 있는 남자 앞으로 가서 앉았다. 재욱보다 열여섯 살이 어린 제수였다.

출입문을 등진 자리에 앉아 있어서 제수의 얼굴은 볼 수 없었다. 제수가 소주병을 들어 술을 잔에 따랐다. 방한모를 쓴 남자의 옆자리에 낚시가방이 세워져 있었다. 남자는 육지에서 온 낚시꾼이 분명했다. 연거푸 술잔을 비우는 남자의 얼굴은 어머니의 장롱 위에서 세월과 더불어 삭아가고 있는 사진첩 속 명함판 사진으로 남아 있는 아버지의 얼굴처럼 특징이 없었다. 재욱은 희미한 기억으로 남아 있는 오래전 시간 속으로 들어와 있는 듯 기시감을 느끼면서 긴장했다.

남자는 2층에서 사흘 밤을 머물렀다. 민박하는 손님이 드물었던 겨울이었다. 아침밥을 먹고 낚싯대를 챙겨 바다로 나가면 남자는 점심 무렵 물고기 한두 마리를 어망에 담아가지고 식당으로 돌아왔다. 남자는 회와 매운탕을 먹으러 왔던 손님들처럼 탁자에 얌전히 앉아 음식이 나오기를 기다리지 않았다. 재욱은 살아 꿈틀거리는 생선의 비늘을 벗기고 회를 뜨는 남자의 모습을 우두망찰 하고 지켜보았다. 물질을 할 때마다 전복이며 소라며 돌미역 등속으로 가득 찼던 어머니의 망사리에 비하면 남자의 어망은 초라하기 그지없었다. 잡고기 몇 마리에 우쭐해서 식당 주방을 어지럽히는 남자를 다정하게 웃는 얼굴로 바라보는 어머니를 이해할 수 없었다.

남자가 떠나고 몇 달 뒤 어머니의 배가 불러오기 시작했다. 재욱은 불러오는 배를 복대로 친친 싸매고 물질을 나갔다 돌아온 어머니가 주먹 쥔 손으로 복부를 내려치며 우는 꿈을 꾸었다. 복대로 배를 감싸고 쩔쩔매는 어머니의 모습이 생생했다. 재욱은 꿈과 현실이 헷갈렸다. 어머니는 불러오는 배를 감추려고 하지 않았지만 아기가 태어나면 틀림없이 둘째처럼 열병에 걸려 듣지 못하게 될 거라고 넘겨짚었다.

재욱의 걱정이나 두려움과 상관없이 어머니는 건강한 사내아이를 낳았다. 어머니는 아기가 충분히 젖을 만지고 빨 수 있게 해주었다. 재욱이 상상했던 불길한 일은 일어나지 않았다. 어머니는 아기를 방에 혼자 두지 않았다. 포대기로 둘러업고 일할 때 아기가 울거나 보채도 짜증을 내지 않았다. 아기가 첫 걸음마를 떼자 어머니는 시내에 있는 사진관으로 가서 돌 사진을 찍었다. 떡과 음식을 만들어 홀로 아이를 키우는 이모들을 불러 밥을 먹였다.

사라졌거나 떠나버렸던 남자 어른들은 돌아오지 않았다. 낚시가방을 메고 아이들과 여자들이 살고 있는 섬으로 찾아온 남자들은 오래 머물러 있지 않았다. 어린 재욱에게 어머니는 어른이 되면 섬을 떠나야 한다고 오금을 박듯 말했다. 젊고 건강한 남자는 육지로 가야 한다고 단언했다. 여자들에게 의지해서 살 수밖에 없는 늙고 병든 노인이 아니라면 떠나야 하는 거라고 말했다.

막내는 어머니의 종마였다. 걷고 뛰고 말을 배우기 시작하는 막내를 어머니는 한순간도 시야에서 놓치지 않으려고 했다. 이제 젖을 찾지 않을 만큼 훌쩍 자란 막내를 품에 안고 토닥거리면서 재웠고 섬에서 나고 자란 여느 사내아이들처럼 바다를 무서워하지 않는 막내가 헤엄을

치다가 물에 빠지기라도 할까 봐 애면글면했다.

막내가 재앙을 당할지도 모른다는 걱정과 두려움이 차차 의심으로 바뀌었을 때 재욱은 어머니 몰래 문갑을 열고 남자 어른의 사진을 꺼내보았다. 사진 속 남자 어른의 얼굴과 칼을 손에 쥐고 바다에서 잡아온 잡고기를 손질했던 남자는 비슷하지 않았지만 다르지도 않았다. 특징이 없는 남자 어른의 사진 속 얼굴과 낚시가방을 메고 식당으로 와서 매운탕을 안주로 술을 마셨던 수많은 남자들을 구별해낼 수 없었다. 재욱은 아버지가 죽거나 사라지지 않고 육지 어딘가에 살고 있을지 모른다는 의심이 솟구쳤다.

어느 날 어머니가 문갑에 넣어 둔 사진을 꺼내 막내에게 보여주었을 때 재욱은 혼란에 빠져들었다. 엉킨 실타래는 도저히 풀 수 없고 만질수록 점점 더 어지럽게 헝클어질 뿐이었다. 아무리 애를 써보아도 재욱은 가지런했던 본래의 실타래를 가질 수 없었다.

삼형제가 공평하게 똑같은 사진을 보았다고 해도 아버

지에 대한 그리움이나 원망이 같을 수 없었다. 막내는 혼란과 의심에서 자유로웠다. 세상에 나올 때부터 준마에서 열외 되었던 둘째에게 아버지란 어둠과 적막에 둘러싸인 혼돈이었다. 재욱은 억세고 투박한 손의 감촉으로 아버지를 기억했다. 수십 번을 보았지만 문갑에 사진을 넣는 순간 얼굴을 잊어버렸던 남자 어른은 크고 단단한 손의 주인이 아니었다. 재욱은 자신의 손을 잡아주었던, 커다란 손을 가진 사람의 얼굴을 떠올릴 수 없었다. 목소리를 기억해내지 못했다. 불러오는 배를 복대로 감싸고 신경질적으로 울음을 터뜨리고 주먹 쥔 손으로 복부를 내려쳤던 어머니의 모습은 꿈인지 실제인지 헷갈렸지만 얼굴이 지워지고 보이지 않는 사람의 손의 감촉만큼은 또렷하고 생생했다.

재욱은 어린 자신을 안아주었던 사람이 사진 속 남자 어른이 맞는지 어머니에게 묻지 않았다. 둘째가 듣지 못하게 되었을 때도 묻지 않았다. 막내가 자라 사진 속 남자 어른의 아들이 되었을 때도 물을 수 없었다. 포구가 내다

보이는 좁은 방에서 둘째가 언제까지라도 책을 읽을 수 있었다면 재욱은 평생 어머니에게 물으려고 하지 않았을 것이었다.

대학을 졸업하고 직장을 구했지만 재욱은 둘째를 육지로 데리고 갈 수 없었다. 어디에서 살든 세상은 둘째에게 감옥일 뿐이었다. 둘째의 뼛가루를 바다에 뿌리고 돌아왔던 날 재욱은 앓아누워 있는 어머니의 방으로 들어갔다. 며칠 밤사이 살이 내리고 십 년은 늙어버린 어머니가 낯설고 서먹했다.

해가 저물고 어둠이 내린 뒤에도 재욱은 어머니의 방에서 나가지 않았다. 어머니는 불을 켜라고 말하지 않았다. 재욱은 오래전 어머니의 손을 잡고 포구에 나갔던 이야기를 혼잣말처럼 중얼거렸다. 크고 단단한 손의 주인은 통통배를 타고 바다로 나가면 어망 가득 물고기를 잡아 돌아왔다. 배를 내리는 수많은 사람들 속에서 재욱은 단번에 그 손의 임자를 알아볼 수 있었다. 재욱은 어머니 손을 뿌리치고 달려가서 낚싯바늘에 능숙하게 미끼를 끼우고 눈 깜짝할 사이에 생선 비늘을 벗기고 배를 갈라 내장을 꺼내 회를 떴던 두툼한 손을 잡았다. 그 손을 잡자 재욱의 작은 손은 사라지고 보이지 않았다. 크고 단단한 손을 잡고 있으면 언제까지라도 안전할 거라는 믿음이 생겼다.

어느 날 갑자기 손이 사라진 후 재욱은 포구에 가지 않았다. 물옷을 입고 바다에 나가면 어머니는 망사리를 가득 채워 집으로 돌아왔다. 바다가 잔잔한 날에도 포구에 정박해 있는 고기잡이배들은 출항하지 않았다. 밤이 되면 어머니는 깊이 잠들지 못했다. 재욱은 고기잡이배를 탔던 수많은 사람들이 어디로 사라졌는지 궁금했다. 아플 만큼 세게 잡고 놓지 않았던 그 손이 어디에 있는지 알고 싶었다. 어머니는 홀연히 사라졌던 사람들이 모두 함께 돌아올 거라고 말했다. 야윈 얼굴과 반대로 배가 점점 불러오기 시작했을 때 어머니의 기다림은 두려움으로 바뀌었다. 재욱은 제대로 먹지도 못하고 구역질을 해대는 어머니가 죽어버릴까 봐 무섭고 겁이 났다.

바다에서 잡은 잡고기의 비늘을 벗기고 회를 떴던 남자의 얼굴은 까맣게 잊었지만 서툴렀던 칼질은 기억에서 지워지지 않았다. 커다랗고 억세 보였던 손을 가진 남자는 날렵하고 섬세하게 움직였던 손의 주인이 아니었다. 어머니가 삼형제에게 공평하게 보여주었던 사진 속 남자 어른은 삼형제 모두의 아버지였고 누구의 아버지도 아니었다. 어둠이 차올라 사물을 분간할 수 없는 방에서 목소리를 낮추고 물었지만 어머니는 대답하지 않았다.

바람 소리 때문에 전화벨 소리를 듣지 못했다. 막내에게 여러 차례 전화가 걸려와 있었다. 재욱이 전화를 걸자 그사이 어머니가 갑자기 위독해졌을 리 없는데도 막내가 다급한 목소리로 물었다.

"형님, 지금 병원으로 오실 수 있지요?"

지금 술을 마시고 있고 이미 취해버려서 내일 아침 일찍 병원으로 가서 어머니를 찾아뵙겠다고 재욱이 대답했다.

“엄마가 형님을 찾아오라고 하십니다. 하실 말씀이 있대요.”

바닷바람을 맞고 서서 재욱은 둘째의 방을 올려다보았다.

둘째는 언어 바깥에서 잠시 머물러 살았던 아이였다. 듣지도 말을 할 수도 없었던 아이는 죽지 않고 여태 그곳에 머물러 있었다. 불 꺼진 방 창문 위로, 살아가기 전에 이미 죽음 속으로 침몰되었던 둘째의 모습이 어룽거리며 비쳤다. 재욱은 이제 죽은 채로 되돌아오는 둘째의 초상을 치르고 어머니의 죽음을 기다려야 한다고 생각했다.

오랜 세월 어머니는 대답할 말을 골랐을 테지만 사진 속 남자가 누구인지 더이상 궁금하지 않았다. 종욱의 목소리가 사라지고 웅웅거리는 바람 소리가 귓가를 때렸다. 재욱은 식당 유리문 너머로 손님과 마주앉아 있는 제수의 뒷모습을 응시하고 서서 바람 소리를 들었다. 어머니가 죽음으로 돌려보냈던 아이를 장사(葬事) 지내고 침묵과 어둠의 바다를 떠나라고 바람이 등을 떠밀었다. 휴대

전화를 외투 주머니에 넣고 포구를 등진 채 재욱은 휘청거리며 어둠 속을 걸어나갔다.

'좋은 이별'은 어떻게 가능한가

고영직

문학평론가

1

중견작가 서성란은 1996년 《실천문학》으로 문단에 데뷔한 이후 주로 고통과 상실 그리고 글쓰기의 문제를 다룬 작품들을 다수 발표했다. 서성란의 이러한 글쓰기 경향은 최근 수년 간의 작업에서 더욱 두드러지고 있는 듯하다. 장편소설 『풍년식당 레시피』(2014), 소설집 『침대 없는 여자』(2015) 그리고 장편소설 『쓰엉』(2016)과 『마살라』(2019)로 이어지는 서성란의 최근 행보는 장애인, 죽음 앞의 노인·인지증(치매) 노인·실어증 환자를 비롯한 병든 자들(『침대 없는 여자』), 결혼이주여성, 소설가 지망생처럼 우리 사회에서 소외된 자들을 응시하고 껴안으려는 문학적 시도를 하며 '사회적 성원권(成員權)'의 문제를 환기하고자 하는 작업이었다고 요약할 수 있다.

나는 특히 베트남 이주여성 '쓰엉'이라는 존재를 통해 철저히 고립된 이주여성의 살 권리 문제를 성찰한 『쓰엉』이야말로 우리 안의 견고한 빗장 공동체(gated community)의 문제를 예리하게 성찰하며 그 허구성을 파헤친 수작이라고 생각한다. "한국 음식을 능숙하게 요리한다고 해도 쓰엉은 외국인일 뿐이었다"라는 작중 진술에서 알 수 있듯이, 결혼이주여성 쓰엉을 둘러싼 산골마을 '가일리'는 일종의 요새국가(a fortress state)와 전혀 다를 바 없는 곳 대한민국을 표상한다. 다시 말해 서성란은 베트남 여성 '쓰엉'이라는 존재를 통해 결코 한국인이 될 수 없었던 우리 안의 결혼이주여성의 문제를 예리하게 파헤친 것이었다. 이 점에서 소설 마지막에 등장하는 '방화'

장면은 충격적이지만, 어쩌면 작가는 이러한 에피소드를 통해 선주민과 이주민 간 대화와 소통 부재는 마침내 '사람 잡는 정체성'(아민 말루프)이 될 것이라는 문학적 경고를 보냈다고 보아야 옳을 듯하다. 예술사회학자 이라영이 "모든 차별의 핵심은 개별성의 삭제"(이라영, 『타락한 저항』, 교유서가, 2019)에 있다고 한 사회적 맥락은 바로 이런 측면에서 이해되어야 마땅할 것이다.

여하튼 서성란은 최근 글쓰기에서 '문학의 자리'에 대해 깊이 사유하는 것 같다. 예의 『쓰엉』에서도 그렇지만, 최근작 『마살라』에서도 집요하게 '글쓰기'의 문제를 성찰하고 사유하는 점에서도 확실히 알 수 있다. 글쓰기에 대해 고민한다는 것은 결국 '문학의 자리'에 대해 생각한다는 것이다. 더 구체적으로 말하자면, 지금 여기 '한국문학의 자리'에 대해 고민하는 것으로 이해해도 좋을 법하다. 『쓰엉』의 '이령', 『마살라』의 '나'와 '이설'이 완벽에 가까운 작품을 세상에 내놓기 위해 고민하는 것이 아니라는 사실에서도 여실히 확인할 수 있으리라. 어쩌면 서성란은 작가의 분신(分身)에 가까운 작중 인물들을 통해 문학의 '문학성' 자체가 의심받고 있는 최근 한국소설의 문제를 우회적으로 성찰하며, 제 나름의 방식으로 미적 돌파구를 마련하고 있는 것인지도 모르겠다. 이 지면에서 다루는 작품들인 「유채」와 「좋은 어머니들」 또한 그러한 글쓰기의 자장권에 있음은 말할 나위 없다.

2

「유채」와 「좋은 어머니들」은 자식의 죽음(「유채」) 또는 죽음 앞의 어머니와의 이별(「좋은 어머니들」)을 다루고 있는 작품들이다. 한마디로 말해 애도(哀悼) 문제를 다룬 작품들이라고 할 수 있다. 실상 애도 문제는 문학의 유구한 테마였으며, 앞으로도 문학이라는 양식이 존속하는 한 유구할 것이다. 그만큼 애도 혹은 '좋은 이별'의 문제는 문학을 비롯한 예술의 유구한 테마였노라고 감히 확언할 수 있다.

그런데 애도의 문제를 성찰할 때 가장 먼저 전제해야 할 태도는 모든 고통은 '개별적이고 주관적'이라는 사실이다. 따라서 고통에는 '등급(等級)'이 있을 수 없다는 점이다. '고독의 시인'이었던 에밀리 디킨슨(1830~1886)이 "고독은 잴 수 없는 것"(「고독은 잴 수 없는 것」)이라고 한 시의 표현에서 '고독'이라는 말 대신에 '고통'이라는 단어로 바꾸어도 무방하다고 생각하는 것은 고통의 철저한 개별성 때문이다. 어쩌면 좋은 문학은 고독 혹은 고통에 처한 누군가의 '곁'에서 타자를 더 자세히 이해하려고 애쓰는 문화형식일지도 모른다. 나는 그런 태도야말로 애도를 대하는 '문학의 자리'라고 보는 편이다.

서성란 소설집 『유채』에 수록된 두 작품은 저마다 음색(音色)이 조금씩 다르지만, 너무나 개별적이고 너무나 주관적인 고통스러운 상황을 외면하지 않으며 그것을 껴안으려는 전형적인 애도의 글쓰기를 보여준다. 특히 이 점은 소설 「유채」에서 더 부각된다. 나는 '세월호 참사' 희생자로 짐작되는 소설 화자 '소하'의 모습에서 칼 융이 처음 제시한 '상처 입은 치유자'(Wounded Healer)의 모습을 떠올리게 된다. 다시 말해 "모든 치유자는 상처 입은 사람이다"라는 뜻을 내장한 '상처 입은 치유자'라는 융의 개념은 서성란 소설 「유채」와 「좋은 어머니들」을 이해할 수 있는 중요한 참조점이 된다. 물론 『유채』 속 화자들(소하·재욱)이 지금 당장 치유자로서의 모습을 보여준다는 것은 절대 아니다. 다만 이들은 상처의 시간을 관통하며 일상을 서서히 회복하며 삶을 견디는 중이라고는 자신 있게 말할 수 있을 것 같다. 이 점은 「유채」의 화자인 '소하'가 특히 그러하다.

「유채」의 작중 화자인 '소하'는 유채가 만발한 섬으로 고2 때 수학여행을 떠난 고등학생 아들 '율'의 죽음을 아직도-여전히 충분히 애도하지 못했다. 이후 소하의 '일상'과 '감각'은 철저히 무너졌다. 예를 들어 소하는 어느 순간 후각과 미각 같은 신체 감각뿐만 아니라, 시간 감각 자체를 온전히 잃어버렸다. 한마디로 말해 하루하루 일상

자체가 '재난 상태'가 된 것이다. 그런 소하의 일상이 무감각과 피곤함 그리고 세상사에 대한 무관심으로 일관하는 것은 충분히 이해될 수 있다. "거실 벽에 걸린 시계는 1년 6개월 전 율이 집을 나간 그날에 멈춰 있었다. 초침이 잠시도 쉬지 않고 움직였지만 시계는 한순간도 현재의 시각을 가리켜주지 않았다"(22쪽)라는 문장은 무자비한 '시간의 발톱'이 할퀴고 간 소하의 마음 상태를 잘 요약한다. 뒤이어 등장하는 "시간은 모든 이들에게 동일한 속도로 흐르지 않았다"(25쪽)는 문장에서 아들의 죽음 이후 소하의 시간이란 결코 카이로스의 시간이 될 수 없고, 철저히 '크로노스의 시간'이라는 점을 뒷받침한다.

그랬던 소하가 아들 '율'의 생일을 맞아 율의 친구들—모두 희생자들이다—인 규, 현, 석을 불러 생일잔치를 벌이려고 한다는 것이 이 작품의 기본 플롯이다. 소하가 율을 비롯해 아이들을 위해 특별히 준비하려는 음식은 '잡채'이다. 그런데 서성란의 작품에서 '음식'은 음식 이상의 특별한 의미를 지닌다. 전작 『풍년식당 레시피』에 등장하는 '팥죽'이 그 좋은 예다. 작중 '소흘시'에 소재하는 것으로 묘사되는 '풍년식당'은 어딘가 모자라고 부족한 사람들, 다시 말해 노인-갑숙-승복-선희가 일종의 조각보가족(patchwork family)을 이루며 대(代)를 이어 '팥죽'을 끓이는 장소로 표상된다. 이들에게 팥죽이란 음식은 "지치고 고단한 사람에게 팥죽만한 음식이 없을 거였다"(『풍년식당 레시피』, 322쪽)라는 의미를 지녔다. 이와 마찬가지로 「유채」에서도 '잡채'라는 음식은 그런 의미를 당연히 지녔지만, 작품 속 설명에 따르면 실상은 전혀 그렇지 못하다. 소하가 언니 '주희'가 병석에 누워 있을 때 가져간 음식이 잡채였으나, 언니는 "먹을 수 없는 음식"(22쪽)이었기 때문이다. 이 점에서 「유채」에서 '잡채'라는 음식은 아들 율의 죽음과 더불어, 언니 주희의 죽음 또한 동시에 애도하려는 작품적 의미를 지닌다고 보아야 할 것이다.

여하튼 소하는 아들의 생일상을 준비하다 아들과 만나는 꿈을 꾸게 된다. 그리고 꿈에 만난 아들이 점차 '갓난아기'가 되어가고, 결국 "슬픔과 고통을 알지 못하는 무구한 아기"(30쪽)가 되는 모습을 목격한다. 한마디로 말해 「유채」의 꿈 장면은 소하가 율을 만나 아들을 잃은 죄의식에서 벗어나 슬픔을 슬퍼하는 장면으로 이해할 수 있으리라. 소하의 죄의식이란 실상 정신건강의학자 정혜신의 말처럼 "죽음에 책임이 있어서가 아니라 사랑하기 때문에 죄책감을 느끼는 것"(정혜신, 『죽음이라는 이별 앞에서』, 창비, 2018, 81쪽)이라고 할 수 있기 때문이다.

소하가 꿈에 아들을 만나고, 입덧을 하고, 은행 열매의 역겨운 냄새를 맡는 장면은 '지연된 애도'가 비로소 실현되는 상황으로 이해할 수 있으리라. 이 점은 미수습자였던 아들 친구 '규'의 시신이 마침내 수습되었다는 작품 속 상황으로도 뒷받침된다. 소하는 마침내 "율이 살지 못한 시간"(31쪽)을 생각하며, 다시 '엄마'로 탄생할 것이다. 이러한 변화는 결국 소하가 슬픔과 대면할 수 있는 마음의 힘을 갖게 된 상황과 무관하지 않으리라. 어느 철학자가 애도란 "자기 안에 타자의 묘소를 마련하는 일"(자크 데리다)이라고 말했다. 이제 소하는 더이상 '지연된 정의'의 문제를 외면하지 않고 싸울 수 있는 마음의 동력을 얻었다고 보아도 좋을 것이다. 내가 앞에서 소하의 모습에서 '상처 입은 치유자'의 모습을 연상하게 된다고 언급한 맥락은 이와 같은 이유 때문이다.

문제는 문학에서 애도의 상황이 「유채」의 그것처럼 사회적 재난 같은 사안만 있는 것이 아니라는 점이다. 고통이란 내가 아픈 것이고 결국 나의 아픔이다. 우리가 이 사실에 동의한다면 고통의 개별성이란 따지고 보면 지구상에 존재하는 인구만큼 다양할 수밖에 없다는 점이다. 어쩌면 문학은 이와 같은 고통의 개별성 문제를 작가 나름의 방식으로 다루되 문학의 문학됨을 증명하는 유구한 문화형식이 아닌가 하는 생각마저 든다.

「좋은 어머니들」은 작중화자 '재욱'이 어머니의 죽음을 앞두고 섬—제주도로 추정됨—에서 남편 없이 세 아들을 키워야 했던 어머니의 고단한 행장(行狀)을 회상하며 모성(母性)의 의미를 생각하는가 하면, 유독 어머니로부터 환

대받지 못한 채 후천적 장애(청각·시각)를 안고 죽어간 아우 '성욱'의 철저히 고립된 삶을 애도하는 작품이다. 먼저 모성 문제를 살펴보자. 서성란은 예의 『풍년식당 레시피』에서 '심성희'라는 인물을 통해 모성에 대한 자신의 생각을 부려놓은 적이 있다. "모성은 뇌의 자극을 받아 분비되는 호르몬과 같은 것이었다"(301쪽)라고. 이 진술에서 엿볼 수 있듯이, 서성란은 『풍년식당 레시피』에서 딸 '혜란'이 원치 않는 임신과 출산을 했지만, 모성을 전혀 자극받지 못한 심성희라는 인물의 내면을 창조한 바 있다. 여기서 이 점을 거론하는 까닭은 「좋은 어머니들」에서 병약하게 태어난 둘째 '성욱'을 대하는 어머니의 태도가 심성희의 모성을 연상시키는 대목이 있기 때문이다.

아무튼 성욱은 평생 "침묵과 어둠의 세계"(60쪽)에서 살다 자신의 운명에 '저항'하며 스스로 생을 마감했다. 그런 성욱의 삶은 "어디에서 살든 세상은 둘째에게 감옥일 뿐"(66쪽)이었을 터이고, 어머니 또한 "내가 지고 가야 할 짐이고 업보"(58쪽)였을 것이다. 그런데 가족의 일원으로 호

명 받지 못한 경험은 성욱으로 하여금 자신의 운명에 절망하도록 재촉했다는 점을 알 수 있다. 그런데 서성란은 성욱의 죽음에 대한 재욱의 뒤늦은 애도 문제를 다루고 있지만, 하우스(House)가 아니라 홈(Home)으로서의 주거공간, 곧 집이 필수공간이었던 성욱의 '욕망'에 대해서는 전혀 다루지 않는다. 쉽게 말해 성욱은 살아생전 땅 딛는 기쁨을 제대로 누리지 못했고, 성욱에게 집은 사회 내부에 엄연히 존재했지만 '외부 공간'이나 다를 바 없었던 셈이다. 이 점에서 장애인 출신 변호사 김원영이 장애인에게 필요한 것은 '희망 대신 욕망'(김원영, 『희망 대신 욕망』, 푸른숲, 2019)이라고 한 말은 좋은 참조점이 된다. 이에 따르면, 성욱의 자살은 생물학적인 자살의 외양을 띠지만, 엄밀히 말하자면 장애를 타자화해서 보려는 어머니의 '그릇된' 태도에서 비롯된 사회적 타살일 수 있다. 우리는 서로의 환경이지 않은가. 이 점을 냉정히 이해하고 성찰하지 않으면, 재욱의 애도 행위는 자기합리화에 더 가까울 수 있다.

그런데 왜 작가는 성욱의 내면과 욕망을 다루지 않았을까. 그것은 억척어멈으로 살아야 했던 어머니의 간난신고한 행장을 회상하는 데 무게중심을 두었기 때문이다. '음력 5월 초순경'이면 섬의 집집마다 제사를 지낸다는 작중 설정에서 유추할 수 있듯이, 「좋은 어머니들」의 원경(遠景)은 제주 4·3사건 혹은 한국전쟁의 상흔(傷痕)과 관련성이 있는 것으로 짐작된다. 그러나 서성란은 아마도 의도적으로 이에 대한 부연설명을 하지 않는다. 서성란의 관심사는 상흔 이후 오직 생존을 위해 분투하는 어머니의 억척스러운 삶 자체에 더 주목할 뿐이다. 그래서일까? 아들 셋을 두었지만, "아버지가 누구냐?"고 물을 때마다 세 아들 모두에게 공평하게 보여준 30대 초반으로 추정되는 아버지의 부재와 어머니의 간난신고한 삶을 모두 담아내기에는 단편의 형식으로는 다소 무리한 서사(敍事)가 아니었나 싶다. 다시 말해 「좋은 어머니들」에 내장된 이야기는 '중편 이상'의 분량과 문제의식으로 다루어야 할 '비극'의 제재였다고 할 수 있다. '비극에서는 인물보다 행동이 중요하다'고 아리스토텔레스는 말한다. 쉽게 말해 「좋은 어머니들」의 경우 고기잡이배를 타고 떠난 사진 속 아버지'들'이 해상 사고로 실종된 것으로 추정되고, 이후 재욱의 어머니뿐만 아니라 섬의 어머니'들' 또한 고단한 행장을 살아야 했던 것으로 미루어 짐작되는데, 이 모든 것들을 단편 형식에 담아내기에는 한계가 있다는 점에서 형식의 전환이 절실해 보인다. 그래야 너무나 모순적이었던 어머니의 행동을 제대로 이해하고 애도할 수 있지 않을까 싶다.

3

서성란의 소설집 『유채』는 문학의 유구한 테마인 애도 문제를 다룬 작품집이다. 세월호 참사 같은 사회적 재난의 문제뿐만 아니라 개인적 애도의 문제를 다루고 있다. 여기서 잠시 세월호 참사와 문학의 자리를 생각하는 것은 실례가 되지는 않을 것이다.

2014년 4·16 세월호 참사 이후 '문학의 자리는 어디인가?'라는 질문이 무성했다. 인간의 인간됨이 심각하게 위협받는 위기 상황에서 문학의 문학다움은 무엇이어야 하는가를 되물었던 것이다. 부름에 응답(respond)하는 행위야말로 책임감(responsibility)과 연결되는 문학의 윤리라고 할 때, 서성란의 작품집 『유채』의 문제의식은 대면의 요청을 외면하지 않으려는 문학의 한 모습이라고 말할 수 있다.

실제 서성란은 「유채」에서 무력(無力)하기 짝이 없는 화자 '소하'를 통해 더이상 무력감에 압도당하지 않는 마음의 동력이 어디에서 비롯하는지를 성찰한다. 그리고 사회적 재난으로 아들을 잃은 참척의 슬픔을 충분히 슬퍼하는 것이야말로 진정한 애도라는 점을 증명한다. 당시 국정을 책임신 정부는 함께 울고 함께 분노할 수 있는 장(場, field)을 제공하는 것이 아니라, 무력(武力)의 힘을 내세워 경제 담론으로 회피하며 봉인하기에 급급했다. 물론 작품에서는 그런 상황이 구체적으로 언급되지는 않지만, 자신의 무력(無力)을 탓하지 않으며 인간의 인간됨을 말해야겠다고 다짐하는 소하의 태도는 이른바 세월호 문학의 가능성을 내장했다고 말할 수도 있다.

다만 참사 직후 '세월호 문학'에 대한 담론은 무성했으되, 문학의 문학됨은 무엇인지 묻는 작품적 실천들이 많아졌느냐 하면 반드시 그런 것은 아니었다는 점이다. 세월호 사건을 소재로 다루든 그렇지 않든 간에, 불안하고 우울한 사회 전반에 대한 예리한 성찰과 더불어 사회적 약소자(弱小者)들에 대한 깊이 있는 이해를 보여주는 작품 실천이 더 필요한 것 아닌가 한다.

그런 점에서 세월호 문학은 아직 진행형이고, 그 사건으로부터 미적 거리감을 확보했다고 단정적으로 말할 수는 없다. 다만 새로운 문학/미학은 인류학자 데이비드 그레이버의 말처럼 '예시(豫示)적 정치'를 예감하고, 기존의 문학적 문법을 뒤집는 상상력 혁명과 맞물려 있다는 점은 분명하다. 이 점에서 서성란이 최근작들에서 '글쓰기'

에 대해 깊이 고민하는 점은 매우 징후적이다. 그런 사유와 작품실천에서 삶-현실 텍스트는 언제나 작품보다 위대하다는 점을 증명하는 글쓰기를 보여주었으면 한다. 이 과정에서 '알지만 좀처럼 행하지 않는' 우리 안의 냉소주의와 직면할 수도 있을 것이다. 그럼에도 불구하고 '사람의 자리'는 어디인지 지속적으로 묻는 일은 결국 우리 시대 '문학의 자리'는 어디인지 묻는 일이 아닐까 한다. 나는 특히 「좋은 어머니들」에서도 그렇지만, 전작 『풍년식당 레시피』와 『침대 없는 여자』에서 보여준 장애인을 비롯한 소외된 사람들에 대한 문학적 응시야말로 서성란의 특장(特長)이라고 본다. 장애인을 다루는 서성란의 작품에서 새로운 장애문화를 만드는 문학적 실험의 한 경지를 보았으면 싶다. 그 과정에서 지치지 않기를.

총소리가 들렸다.

깜짝 놀라서 캄캄한 창 쪽으로 고개를 돌렸을 때 다시 총성이 울렸다.

밤에 총소리가 날지도 모르니 놀라지 말라고 관리인이 미리 주의를 주었지만 나는 놀라서 가슴을 쓸어내렸다.

창가로 가서 어둠에 싸인 마당과 길과 산자락을 톺아보았지만 피를 흘리는 멧돼지와 총을 든 포수는 나타나지 않았다. 총소리에 놀라 허둥지둥 달아나는 멧돼지를 본 것도 같았다. 마을에서 밭작물을 지키기 위해서 고용했다는 포수는 더이상 총을 쏘지 않았다.

이튿날 오후에 산책을 나갔다가 늙은 개를 보았다. 농가에서 뚝 떨어진 자리에 묶여 있는 개는 내가 다가가도

짖지 않았다. 털이 빠지고 몇 가닥 남은 털이 헝클어져 있는 개는 무표정한 얼굴로 나를 가만히 바라보기만 했다.

이곳에 머물러 글을 쓰는 동안 낮에는 늙은 개를 보러 나가고 밤이 되면 총소리에 쫓겨 달아나는 멧돼지를 생각하면서 마음을 졸였다. 하루가 다르게 여물어가는 벼이삭과 참깨를 보았고 허리가 굽은 노인이 심은 들깨가 얼마만큼 자랐을지 궁금해서 날마다 유심히 들여다보았다.

「유채」와 「좋은 어머니들」은 초고를 쓴 후 여러 해 동안 조금씩 퇴고하면서 분량을 줄였다. 어떤 소설은 내 곁에 오래 머물다 떠나가는데 이 소설들이 그랬다. 길게 쓰지 않으려고 했고 지금도 여전히 길다고 느끼면서 출판사에 원고를 넘겼다.

베란다 너머에 서 있는 단풍나무가 그늘을 드리워주는 방에서 아직 제목을 짓지 않은 소설의 첫 문장을 썼다. 울창한 나무들이 바람을 따라 흔들리며 내는 소리가 기분

좋게 들리는 방에서 이 글을 쓴다.

2020년 7월 20일

매지리 회촌 토지문화관에서, 서성란

경驚.기記.문文.학學 42

유채

서성란 소설집

초판 1쇄 발행 2020년 9월 15일

지은이 서성란
펴낸이 김태형
펴낸곳 청색종이
등록 2015년 4월 23일 제374-2015-000043호
주소 서울시 영등포구 문래동2가 14-15
전화 010-4327-3810
팩스 02-6280-5813
이메일 theotherk@gmail.com

ISBN 979-11-89176-42-6 03810

이 도서의 국립중앙도서관 출판예정도서목록(CIP)은 서지정보유통지원시스템 홈페이지(http://seoji.nl.go.kr)와 국가자료공동목록시스템(http://www.nl.go.kr/kolisnet)에서 이용하실 수 있습니다.(CIP제어번호: CIP2020036253)

이 도서는 경기도, 경기문화재단의 문예진흥기금으로 발간되었습니다.

값 6,800원